Titre original : *Pony Camp diaries*
Megan and Mischief
First published in Great Britain in 2006
Text copyright © Kelly McKain, 2006
The right of Kelly McKain to be identified as the author of this
work has been asserted by herin accordance with the Copyright,
Designs and patents Act, 1988.

Stripes Publishing
an imprint of Magi Publications
I The Coda Centre, 189 Munster Road, London SW6 6AW

Cet ouvrage a été réalisé par les Éditions Milan
avec la collaboration de Sophie Forgeas.
Création graphique et mise en page : Graphicat

Pour l'édition française :
© 2008, Éditions Milan, pour le texte et l'illustration
300, rue Léon-Joulin, 31101 Toulouse Cedex 9, France
Loi 49-956 du 16 juillet 1949
sur les publications destinées à la jeunesse.
ISBN : 978-2-7459-3267-9
www.editionsmilan.com
Imprimé en Espagne par Novoprint

Kelly McKain

Manon et Polisson

Traduit de l'anglais
par Karine Guié

MILAN
jeunesse

Pour Millie (cavalière superstar),
Jody (supermaman) et toute l'équipe
de Wallington.

Ce journal intime appartient à

Manon la courageuse !

Chères cavalières,

Bienvenue aux Écuries du soleil !

Les Écuries du soleil, c'est notre maison, et cette semaine, ce sera aussi la vôtre ! Mon mari Paul et moi avons deux enfants, Émilie et Jérémy, plus quelques chiens... sans oublier tous les poneys. Nous formons une grande famille !

Grâce à nos formidables palefreniers et à notre excellente monitrice, Sandra, vous profiterez au maximum de votre séjour. Si vous avez un souci ou une question, n'hésitez pas à venir nous en parler. Nous sommes à votre service, et nous tenons à ce que vous passiez les vacances les plus agréables possibles – alors ne soyez pas timides !

Votre mission consistera à veiller sur un poney comme si c'était le vôtre. Celui-ci est impatient de faire votre connaissance pour s'amuser avec vous ! Vous prendrez soin de lui, améliorerez votre équitation, apprécierez les longues promenades à cheval dans la campagne, apprendrez de nouvelles techniques et vous vous ferez des amies.

Nous organiserons aussi une grande chevauchée sur la plage. Imaginez-vous galopant sur le sable... Super, non ? Ajoutez à cela de la natation, des jeux, des films, des barbecues et des *pony-games*, et vous voilà parties pour un moment de détente inoubliable !

Vous pourrez noter dans ce journal intime tous vos souvenirs – et croyez-moi, ils seront nombreux !

Nous vous souhaitons une merveilleuse semaine en notre compagnie !

Judith

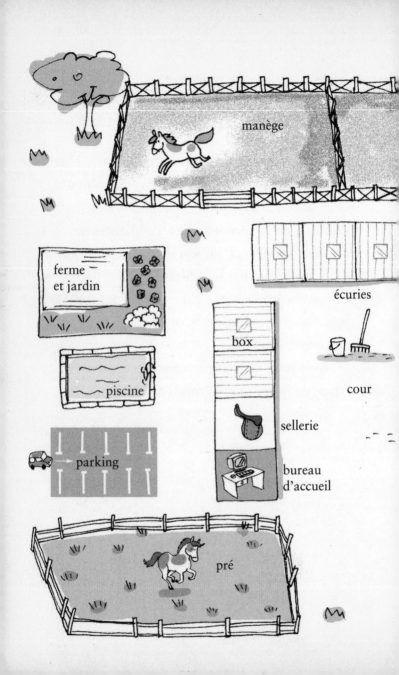

Waouh! Ça y est, je suis arrivée au camp d'équitation! Enfin!

Judith, la responsable des Écuries du soleil, m'a donné ce journal pour que j'y écrive mes aventures de la semaine. Il y a même de la place sur la couverture pour coller une photo de *mon* poney – vivement que je le rencontre... à moins que ce ne soit une ponette! Comme d'habitude, papa et maman m'ont amenée ici très tôt; j'étais la première arrivée. Judith m'a aussi remis un plan et un emploi du temps. Vendredi, il y aura des *pony-games* (des jeux à poney), suivis d'une remise de prix – c'est vraiment chouette !! Je n'ai jamais participé à une compétition. J'adorerais gagner un flot, l'une de ces cocardes auxquelles pendent des rubans. Je pourrais l'accrocher à mon tableau d'affichage décoré de poneys !

Pendant que papa et maman s'occupaient de mon inscription dans le bureau, je suis restée à l'extérieur et j'ai jeté un coup d'œil autour de moi. Cet endroit est incroyable !

Les écuries abritent un énorme cheval, qui doit être capable de tirer des charrues. Pourvu qu'on ne me donne pas ce géant !

Deux adorables poneys à l'air décontracté étaient attachés dans la cour. Une fille aux cheveux blonds frisés leur nettoyait la queue. (Ceux-là seraient trop petits pour moi.) Plus loin, plusieurs poneys gambadaient dans un immense pré. J'ai repéré un adorable et vigoureux poney pie, et un alezan doré à crins blancs.

Je suis survoltée – comme si les céréales que j'ai mangées ce matin dansaient dans mon estomac !

C'est la première fois que je quitte la maison ; j'ai un peu la frousse. Et encore plus quand je pense à ce que j'ai fait en secret. Dans la partie « commentaires » du formulaire de préinscription, j'ai précisé que je voulais monter un poney rapide, un fonceur !

Ce serait génial parce que, dans mon école d'équitation, je me retrouve toujours avec des traînards. Et vu que je suis trop timide pour protester, les gens pensent que j'aime monter ces chevaux lents, que je dois talonner comme une folle pour obtenir un minuscule trot de rien du tout. Mais aujourd'hui, je suis prête à relever des défis – et ce stage en est vraiment un ! Personne ne me connaît ici, alors je vais être différente. Je ne serai plus la Manon qui a besoin d'une veilleuse dans sa chambre, ou qui refuse de jouer au foot de peur de recevoir un grand coup sur la tête. Je serai une toute nouvelle Manon... Manon-la-courageuse.

Peut-être même que j'effectuerai quelques sauts d'obstacles (je n'ai essayé que deux fois jusqu'ici).

Ma chambre est équipée de lits superposés. J'ai choisi celui du bas, parce que si on fait pendre sa serviette à la couchette supérieure, on obtient une cachette ! J'ai hâte de faire la connaissance des deux autres filles qui dormiront ici. J'ai déjà glissé ma boîte de bonbons sous mon lit, pour qu'on s'organise un goûter nocturne !

Oh, il faut que j'y aille – des stagiaires sont arrivées... (J'espère qu'on va bien s'entendre !)

P.-S. : ça y est, je viens de rencontrer Émilie et Gabrielle. Elles sont très sympas (ouf !). Émilie est la fille de Judith et Paul. Elle vit ici (la veinarde !) et possède son propre poney, Tropique (la double veinarde !). Émilie et moi avons aidé Gabrielle à tresser ses longs cheveux blonds ondulés. On lui a mis son élastique poney : il est trop beau. Dès que je rentrerai chez moi, je m'achèterai le même.

Toujours lundi

Après un déjeuner délicieux

J'AI MON PONEY !!

Il s'appelle Polisson et il est magnifique.

Description du poney de Manon

Nom : Polisson
Taille : 1,25 m
Âge : 6 ans
Race : croisé arabe
Couleur : alezan doré à crins blancs
Taches : bande sur le chanfrein, balzanes blanches sur les postérieurs
Nourriture préférée : granulés et carottes

Personnalité : gentil et cool, mais un peu récalcitrant (je verrai bien plus tard si ça se confirme)

Avant de nous attribuer nos poneys, Judith nous a souhaité la bienvenue et nous a présenté les employés du club.

Lydie est la fille aux cheveux blonds frisés que j'ai aperçue tout à l'heure. Elle est palefrenière, c'est le métier de mes rêves : être payée à s'occuper de chevaux du matin au soir, vous imaginez ? Sandra est la monitrice. Elle porte des guêtres (ça s'appelle des mini-chaps) imprimées « camouflage ». J'en rêve la nuit depuis que j'en ai vu dans *Poney Magazine*. Quant à Judith, elle fait aussi la cuisine (on l'aidera mais c'est elle la chef). Et Paul, son mari, est responsable des écuries.

À notre tour, on s'est présentées. En comptant Émilie, nous sommes neuf filles, réparties en groupes de trois. La plus jeune, Carla, a six ans. Elle partage sa chambre avec Emma et Chloé, deux amies qui se connaissent depuis longtemps. L'autre trio est composé de filles plus âgées : Katie et Karen, les jumelles souriantes et sympas, et Jade, qui a l'air de mauvaise humeur en permanence. Elle se met des tonnes de maquillage et elle passe son temps à secouer ses cheveux blonds, comme si elle tournait une pub pour un shampoing.

Enfin, bref, revenons à MON PONEY !

Lorsque Lydie a sorti de l'écurie le splendide alezan que j'avais déjà repéré, j'ai croisé les doigts très fort dans l'espoir qu'il me serait destiné. Sandra a alors déclaré :

– Manon, tu souhaitais te lancer un défi, on va donc te faire essayer Polisson.

Je n'en croyais pas mes oreilles ! Je me suis retenue de sauter et de hurler de joie, de crainte d'effrayer les poneys.

Katie a eu un superbe hongre noir qui s'appelle Rubis ; Gabrielle l'adorable poney pie, surnommé Prince, et Jade-la-boudeuse une ponette alezane à la robe lustrée, Brillante. Cette dernière secoue la queue comme Jade ses cheveux – elles vont bien ensemble ! Pour les autres, j'étais tellement surexcitée que je n'ai pas fait attention !

Nous avons harnaché nos montures (Lydie m'a aidée à passer le mors à mon poney). Et on a attendu pour grimper sur nos poneys. Une fois en selle, j'avais presque le vertige. Mais comme Polisson est mince, j'ai pu bien envelopper ses flancs avec mes jambes. J'ai resserré la sangle de ma selle toute seule, comme une grande. C'était bien… jusqu'à ce que Polisson avance alors que j'avais toujours une jambe tendue en avant. Il a fallu que Lydie revienne vers moi pour l'immobiliser. Ça, c'était pas bien du tout !

Au début, quand nous sommes entrées dans le manège, on a juste dû marcher au pas. Et penser à se tenir droites, les mains souples et les talons bas. Puis, comme aucune de nous n'était vraiment débutante, chacune a pu au moins trotter. Tout allait à merveille.

Sauf qu'ensuite, la leçon a dégénéré car Polisson a commencé à faire des bêtises !

Bêtise n° 1

L'une après l'autre, on devait partir au trot. Mais Polisson s'ennuyait à marcher en rond en attendant son tour : il se rapprochait sans cesse de Gabrielle, au point de presque fourrer son nez dans la queue de Prince. Pour reprendre l'attention de mon poney et le contrôler, Sandra m'a conseillé d'utiliser les demi-arrêts (de reporter légèrement mon poids sur la partie arrière de Polisson). Résultat : il s'est complètement arrêté !

Bêtise n° 2

Lorsque j'ai demandé à Polisson de trotter, il est brusquement parti en arrière et a fait un écart. Tout le monde me regardait ; j'ai paniqué. Sandra s'est dirigée vers nous à grands pas, et Polisson a repris une attitude correcte. Enfin, jusqu'à la...

Bêtise n° 3

Quand on s'est entraînées à passer des barres posées au sol, Polisson s'est un peu emballé et a poussé Brillante. J'ai tiré sur les rênes et je me suis penchée en arrière. Malgré cela, mes jambes ont cogné celles de Jade-la-boudeuse. Je suis sûre qu'elle n'a pas eu mal, mais elle a hurlé et a prétendu que je ne savais pas maîtriser mon poney. J'ai fait mine de ne pas entendre. Et j'ai essayé d'éviter d'autres ennuis. Seulement voilà…

Bêtise n° 4

Nous étions censées contourner des cônes, mais Polisson faisait des écarts gigantesques au point de presque toucher la clôture du manège. Sandra m'a alors dit qu'il était temps que je prenne les commandes et que je me fasse obéir.

C'était horrible : me faire critiquer en public, alors que je m'appliquais. Et Polisson qui m'ignorait royalement !

Le pire, ça a été quand Sandra a demandé à certaines filles (dont moi !) de mener leur poneys au milieu du manège, pour que les autres prennent le petit galop. J'étais très vexée de ne pas pouvoir participer. Dans mon poney-club, je galope souvent sur Flocon… Enfin, pendant quelques secondes seulement, alors qu'il me faut une heure pour lui faire prendre cette allure !

J'ai peur que Sandra me trouve mauvaise cavalière. Je tiens vraiment à remporter un prix aux *pony-games* et à essayer de nouveau le saut d'obstacles. Mais pour ça, il va falloir que je sois sévère avec Polisson. Au secours ! Comment est-ce que je vais m'y prendre ? Je ne suis pas du genre à me fâcher. En général, je me plains à papa, qui gronde à ma place. Comme la fois où Julien Masson m'a jeté une boule de neige dans le dos à l'école, et que papa a téléphoné à M. Thomas, le directeur. Mais aujourd'hui, il n'est pas là pour m'aider ! Je n'ai plus qu'à me transformer en Manon-la-courageuse et faire savoir à Polisson qui commande !

Oh, il faut que je file !

Toujours lundi

(Plus pour longtemps!)

Je suis au lit avec la lampe de poche que m'a prêtée Émilie, car l'heure de l'extinction des feux a sonné.

Aujourd'hui, le programme a été si chargé que je suis épuisée (et le camp commence à peine!).

Après la leçon, on a eu un cours sur le pansage. J'ai découvert à quoi servent les différentes sortes d'étrilles. (Je ne fais pas les soins aux poneys dans mon club, donc je n'y connais pas grand-chose.) Ensuite, on a dîné et on a joué dans la piscine. Émilie, Gabrielle et moi avons fait de la natation synchronisée – du moins on a essayé. C'était chouette. J'ai de la chance d'avoir des camarades de chambre aussi géniales ! Mais Émilie en a encore plus de vivre ici toute l'année !

Je griffonne ces quelques lignes en silence : Gabrielle dort déjà au-dessus de moi. Tout à l'heure, on a écouté son iPod ensemble. Elle est sympa – elle aurait pu refuser de me prêter une de ses oreillettes.

Polisson a fait trois autres bêtises cet après-midi. Alors que je le montais sans les étriers, j'ai failli tomber : il a fait un écart lorsque Lydie est passée près de nous avec une brouette. J'ai essayé de jouer la Manon courageuse mais quand on a mis pied à terre, j'étais au bord des larmes. Gabrielle m'a serrée dans ses bras.

– Ne t'inquiète pas, m'a réconfortée Émilie. Ce n'est pas facile de s'habituer à un nouveau poney. Et Polisson ne s'appelle pas Polisson pour rien !

– Mais tout le monde me trouve nulle ! ai-je gémi.

– C'est archifaux, a-t-elle démenti.

Moi, je crois qu'elle a dit ça par pure gentillesse, car Jade a ricané quand j'ai perdu l'équilibre. À ce moment-là, papa et maman m'ont beaucoup manqué.

Pendant qu'on dessellait, Sandra m'a demandé si je voulais échanger Polisson contre Étoile, un poney plus fiable.

Mais je sais que « fiable » signifie « lent », genre lambin. J'ai cru que j'allais éclater en sanglots.

– Non, je veux rester avec Polisson, j'ai déclaré.

– C'est d'accord pour l'instant, a accepté Sandra. Mais je serai attentive à la façon dont les choses évolueront. Je veux que tu profites de la semaine au maximum, Manon, et toi aussi, j'en suis sûre.

Pfff! Dire qu'elle a osé me proposer de remplacer mon poney. Je vais devoir être plus sévère si je veux garder mon beau Polisson – et vite!

Après la théorie sur le pansage, la pratique : on a pansé nos poneys de la tête aux sabots. J'ai utilisé l'étrille en plastique pour enlever la boue et la sueur de la robe de Polisson. Lorsque j'ai frotté son épaule avec un bouchon, il a enfoui son nez dans mon cou. C'est la preuve qu'il m'aime bien lui aussi !

Dans la journée, je m'imaginais par moments que c'était mon propre poney. Je l'aurais amené ici dans un fourgon pour qu'on passe des vacances ensemble.

Vivement demain, car après le petit déjeuner, on se conduira comme de vrais propriétaires de chevaux : on ira dans le pré attraper ceux qui vivent dehors et on les ramènera dans la cour.

Trop déçue de m'être si mal débrouillée pendant la leçon, je n'ai pas téléphoné à la maison ce soir. Je ne veux pas que maman s'inquiète (et elle s'inquiète souvent !). Je me rattraperai demain : je prouverai à tout le monde que je sais m'y prendre avec Polisson. Et j'aurai ainsi de bonnes nouvelles à annoncer à papa et maman !

Mardi, 11 h 06

Avant la promenade sur la plage

Bon, hier soir, je me suis endormie après avoir rempli mon journal. Oubliée, la soirée friandises. J'espère qu'on la fera ce soir !

Là, on est en pause. Nous nous préparons à aller chevaucher au bord de la mer, alors je me dépêche d'écrire. Tout à l'heure, je me suis bien amusée avec mon adorable Polisson !

Voici ce que j'ai fait :
8 h 20
Nous sommes allées chercher les poneys. On les a pansés rapidement et on leur a curé

les pieds. Comme une grosse pierre s'était in-crustée dans la fourchette de Polisson, j'ai dû être très douce et prudente.

9 h 00, l'heure du petit déjeuner

Un régal ! Ici, il y a des tas de céréales. On peut choisir celles qu'on veut, ou même en mélanger plusieurs sortes. J'ai pris des Ricicles et des Coco Pops. J'en profite, parce qu'à la maison, je n'ai pas le droit d'en manger. Elles sont trop sucrées.

9 h 30

Puisque aujourd'hui, nous allions nous pro-mener à la plage, le cours a porté sur la manière de mettre les guêtres et les bandages. C'est très important quand on doit transporter le cheval : si on bande sa queue, elle ne frottera pas contre sa peau. Et si on lui met des guêtres ou des bandes aux jambes, celles-ci seront protégées des chocs en cas de secousse ou de brusques ralentissements.

Lydie a fait une démonstration sur sa po-nette baie, Timide. Bien qu'on emmène seulement quatre poneys (Tropique, Rubis, Clin d'œil, et Polisson – hourra !), chaque fille s'est quand même entraînée sur sa propre monture. Lydie nous a appris à bien les attacher dans la cour. Et à placer une balle de paille entre les postérieurs de notre poney et nous, pour éviter les ruades (ce que mon merveilleux poney ne ferait jamais !). Je n'ai pas vraiment réussi à bander la queue de Polisson. Tout s'est à moitié défait ; les crins pendaient comme des serpentins. Mais Lydie m'a montré que si je serrais bien dès l'attache de la queue, ça tenait mieux.

Enfin, nous avons mené les quatre chevaux aux fourgons. J'ai encore fait comme si Polisson m'appartenait et qu'on retournait chez nous. J'étais tout excitée de voir Lydie et Paul charger les poneys. Je n'ai jamais fait de cheval sur une plage ; Émilie a dit que c'est super.

Bon, il faut que j'y aille parce qu'elle nous réserve, à Gabrielle et à moi, un siège dans la voiture de son père. Et les autres filles doivent partir en minibus !

Toujours mardi

Deux minutes plus tard

Oh, là là ! Ma bonne humeur s'est en-
volée !

J'écris de l'arrière de la voiture. Avant de
m'asseoir, je suis allée voir Jade-la-boudeuse
qui râlait : Brillante restant au centre équestre,
Jade devra monter Rubis après Katie. Je voulais me réconcilier avec elle après notre petit
accrochage d'hier.

– C'est pas grave, Jade, c'est juste pour cette
fois-ci, l'ai-je réconfortée.

– Qu'est-ce que t'en sais ? a-t-elle rétorqué
avec mépris. Ton poney vient avec nous – c'est
injuste, surtout que tu ne le conduis même pas
correctement !

J'étais toute tremblante et au bord des larmes ; je ne savais plus quoi dire. Alors elle m'a regardée avec méchanceté, l'air de dire : « Tu veux ma photo ? »

Émilie vient juste de lire ces lignes.
– Ne la laisse pas gâcher tes vacances, m'a-t-elle conseillé.
Elle a raison. À partir de maintenant, je vais tout faire pour éviter Jade.

Toujours mardi

*Avant le dîner,
de retour de la plage !*

Waouh ! La chevauchée au bord de la mer était incroyable ! J'étais dans le premier groupe avec Émilie et Chloé. Katie était censée monter avec nous, mais Jade nous a fait une telle crise que Katie l'a laissée partir en premier (peuh !).

On est allées sur une plage privée que les cavaliers des Écuries du soleil ont le droit d'emprunter. Elle était déserte. Pendant que nous sellions nos montures, Sandra a déconseillé à Jade de marcher trop près de l'eau parce que Rubis en a peur.

– Pourquoi on n'a pas amené Brillante à la place, alors ? a demandé Jade d'un ton désagréable.

– Allons, cesse de ronchonner ! Essaie donc de t'amuser, a répondu Sandra avec un sourire, ce qui a rendu Jade encore plus grognon.

Dès qu'on s'est mises en selle, j'ai commencé à me sentir nerveuse : c'était la première fois que je partais à cheval dans la nature. Et si Polisson prenait soudain le galop sur la plage ? Lydie, qui avait remarqué mon inquiétude, est venue le tenir. Ça ne m'a pas du tout gênée – au contraire !

Et nous voilà parties ! Émilie chevauchait en tête sur Tropique tandis que Sandra fermait la marche sur Bleu, son propre cheval. Lydie avançait à notre hauteur : elle avait fixé une longe au licol de Timide, au cas où il aurait fallu contrôler l'une de nos montures. Ça m'a beaucoup rassurée ! On a continué au pas pendant un moment, pour s'habituer au sable, plus mou que les copeaux de bois qui recouvrent le manège. Puis on a commencé le trot assis : c'était vraiment super. Quand on est passées au trot enlevé, je ne me suis pas dit : « Debout, assis, debout, assis », comme d'habitude. Mes mouvements étaient naturels. Polisson avait beaucoup d'impulsion. Il était inutile de le talonner, une simple pression de mes jambes suffisait. J'étais concentrée, pas le moins du monde effrayée ; je savais ce que je faisais. J'ai trouvé la balade extra ! Je n'avais pas peur de cogner dans des clôtures comme dans le manège. En plus, nous n'étions pas obligées de travailler sur des courbes ou de rester sur une piste. Nous devions juste aller tout droit. J'avais donc beaucoup plus l'impression d'être Manon-la-courageuse que Manon-la-terrifiée. C'était fabuleux – Émilie avait raison !

D'après Sandra, ma toute nouvelle assurance se voyait à la façon dont je me tenais sur ma selle (mon assiette) et à mes mains, voilà pourquoi Polisson m'écoutait. J'étais aux anges. Puis nous sommes revenues au pas. Sandra a corrigé nos positions et a revu les aides nécessaires pour passer au petit galop, histoire de nous rafraîchir la mémoire (notre poney doit comprendre, par nos paroles et nos mouvements, ce qu'on veut faire). On est de nouveau reparties au trot enlevé. Au signal de la monitrice, on s'est assises pour demander à nos poneys de prendre le petit galop. Émilie et Tropique sont partis en flèche, suivis de Rubis et de Jade, et enfin de Polisson et moi! J'ai essayé de ne pas me pencher en avant (mon défaut n°1). Pour une fois, je me suis bien enfoncée dans la selle et j'ai suivi le rythme de ma monture. On aurait dit qu'on volait!

Je ne sais pas si je dois raconter ce qui est arrivé ensuite. Si jamais Jade le découvre, elle me détestera carrément. Mais je tiens à être sincère dans mon journal intime. Alors voilà : pendant qu'on galopait, Jade a entraîné Rubis vers la mer.

– Jade, reste sur le sable, s'il te plaît, lui a crié Sandra. Je t'ai déjà prévenue que Rubis n'aime pas l'eau.

Jade, têtue, a continué.

– Bon, tout le monde revient au trot, a ordonné Sandra, un peu fâchée.

Et juste à ce moment-là, une vague a déferlé sur Rubis. Il s'est cabré, Jade en a perdu son étrier. Puis, alors qu'elle tentait de le rechausser, son poney a soudain repris le trot. Jade, projetée en avant, s'est agrippée à l'encolure de Rubis. Elle aurait sans doute pu se redresser – sauf qu'il a baissé la tête et s'est ébroué, faisant tomber Jade dans l'eau ! C'était trop drôle : on aurait cru que Rubis l'avait jetée là exprès. (Si ça se trouve, c'est vrai !)

Émilie et moi, on était mortes de rire ! Pas Jade. Elle s'est roulée par terre en serrant sa jambe et en gémissant. Quand Sandra est descendue de cheval pour aller la voir, j'ai eu peur que Jade se soit vraiment blessée.

– Tu n'as rien. Tu es juste un peu mouillée, a constaté Sandra. Je t'avais pourtant avertie de ne pas t'approcher de l'eau !

– C'est pas moi ! a maugréé Jade. C'est la faute de Rubis !

Sandra a levé un sourcil avant d'ajouter :

– N'en parlons plus. Tu vas bien, c'est le principal.

Sandra a fait la courte échelle à Jade, qui continuait de bougonner. Comme j'ai oublié d'éviter de croiser son regard, elle m'a de nouveau fixée, l'air de dire : « Tu veux ma photo ? » Je me suis vite retournée pour parler à Émilie. Ça m'a rendue triste car je ne supporte pas que quelqu'un ne m'aime pas. Sur le chemin du retour, on a juste marché et trotté. Jade était toujours de très mauvaise humeur. Mais elle s'en est tenue à l'exacte distance que lui a désignée Sandra, sans s'approcher de la mer d'un seul millimètre.

Lorsqu'on a rejoint le lieu du pique-nique, les autres filles ont voulu savoir pourquoi Jade dégoulinait. Celle-ci, très cassante, a refusé de le leur dire. Pendant que Judith l'aidait à se sécher, Émilie a vendu la mèche. Tout le monde a ri, ce qui a rendu Jade-la-boudeuse encore plus boudeuse.

Je ne me suis pas mêlée aux moqueries, dans l'espoir qu'elle le remarquerait. Mais, indignée, elle a contourné l'arrière du fourgon pour enfiler la tenue de rechange que Judith avait apportée, « juste au cas où ».

Ensuite, le second groupe s'est préparé. J'ai tenu Polisson pendant que Gabrielle l'enfourchait. Je lui ai donné toutes mes astuces : avoir confiance en soi, être détendue avec lui et se tenir bien d'aplomb sur sa selle.

– Relax, Manon, je vais très bien m'en sortir ! m'a répondu Gabrielle en souriant.

Puis Sandra a rappelé à Katie la phobie de Rubis.

– Ne t'inquiète pas. Il n'est pas question que je chevauche près des vagues, surtout après ce qui est arrivé à Jade ! a promis Katie, moqueuse.

Nouveau redoublement de rires dans le groupe… et nouveau froncement de sourcils de Jade.

Je me suis sentie un peu jalouse en voyant Gabrielle s'éloigner sur Polisson. Puis nous avons pique-niqué. Au menu : sandwichs tomate-fromage ou thon-concombre. J'en ai avalé un de chaque, sans trier ni le concombre, ni la tomate. Manger ce qu'on me donne fait partie de la Manon courageuse que je suis en train de devenir. Et qui remplace la Manon difficile que je suis chez moi.

Après le repas, nous avons joué avec les super chevaux miniatures de Chloé (sauf Jade-la-boudeuse, qui nous a snobées et a préféré lire le magazine *StarsPop*). On a inventé un jeu : on dirigeait la seule école d'équitation du Sahara. Nous avons même construit un parcours d'obstacles avec le sable et les galets ! J'ai bien sûr choisi l'alezan à crins lavés ; j'ai fait comme si c'était Polisson. Je franchissais avec lui des barrières très hautes et je remportais toute une collection de flots.

Plus tard, sur le chemin du retour, Gabrielle m'a dit qu'elle avait aimé monter Polisson, mais qu'elle regrettait que Prince n'ait pas fait la sortie à sa place. Elle avait hâte de le revoir. En moi-même, j'étais bien contente car je ne veux pas que quelqu'un d'autre aime Polisson – il est À MOI !

Toujours mardi

Au lit, dans le noir avec la lampe de poche d'Émilie !

Émilie, Gabrielle et moi avons conclu un pacte pour rester éveillées jusqu'à minuit : on va faire la fête et déguster en secret mes bonbons et les lacets à la fraise que Gabrielle a apportés. Là, il est 22 h 10. Pourtant, mes deux copines se sont déjà endormies. Ça ne me dérange pas de patienter seule parce que j'ai des tas de choses à écrire. Je les réveillerai tout à l'heure. On se régalera, on parlera de poneys et peut-être qu'on racontera des histoires de fantômes. Émilie en connaît une géniale sur un cavalier sans tête !

Ce soir, j'ai enfin appelé papa et maman. Je leur ai dit que la promenade sur la plage s'était super bien passée, et que Sandra était très contente de mon niveau. J'ai dû rassurer maman : ce n'était pas du tout dangereux, je portais mon gilet de protection, des manches longues, des bottes adaptées, j'avais serré la jugulaire de ma bombe, etc.

J'ai eu un pincement au cœur en raccrochant. J'ai à peine pensé à papa et maman depuis mon arrivée au centre équestre, mais après ce coup de téléphone, j'ai eu très envie de les voir.

J'ai retrouvé ma bonne humeur pendant l'activité du soir : un tournoi de ping-pong. Émilie est très douée. Gabrielle et moi, on a été nulles. Peu importe – on s'est beaucoup amusées ! Le père d'Émilie, qui nous encadrait, a joué avec nous en faisant comme si c'était une corvée. En réalité, il était très bien entraîné et voulait vraiment gagner. Karen l'a pourtant battu en finale. On a toutes applaudi. Et elle a reçu une jolie trousse poney remplie de fournitures neuves.

Ce n'est que le deuxième jour, mais j'ai déjà appris à bander et à panser un cheval, et je suis allée galoper sur la plage. Sans compter

les merveilleuses amies que je me suis faites,
ni Polisson, mon poney superstar. Quelles vacances de rêve !

Oh, je viens de bâiller à m'en décrocher
la mâchoire. Je vais peut-être fermer les yeux
pendant une ou deux minutes.

Mercredi matin

Je n'arrive pas à croire qu'on ait dormi jusqu'au matin, une fois de plus ! Le programme d'aujourd'hui est passionnant : nous allons nous entraîner pour les *pony-games* de vendredi. Bon, pour les filles qui les connaissent déjà, c'est juste un exercice comme un autre – mais ce n'est pas mon cas ! Un jour, mon centre équestre en a organisé. Je devais y participer. Pourtant, à la dernière minute, j'ai eu peur et je me suis désistée : j'ai fini en spectatrice à côté de maman. Cette fois-ci, je vais le faire !

Je meurs d'impatience de monter Polisson après notre bonne entente hier, à la plage. Ce matin, dès qu'il m'a vue, il s'est aussitôt dirigé vers la clôture. Il m'a laissé fixer ma longe à son licol sans aucun problème. Désormais, il n'y aura plus de soucis, j'en suis sûre. Sandra aura la preuve que suis bonne cavalière, et Jade, épatée, m'appréciera plus.

Mercredi

Après la leçon

Oh, non ! Je viens de vivre la pire matinée de ma vie. Je m'efforce de ne pas éclater en sanglots, mais je tremble comme une feuille. Les autres prennent leur en-cas. Moi, je ne peux rien avaler – je suis allongée sur mon lit.

Les choses n'ont pas trop mal commencé avec le relais. Je commence à me tenir mieux au galop. Même si je n'ai pas réussi à effectuer un demi-tour de façon harmonieuse – ce qui m'a fait perdre du temps. Tout s'est gâté lors de la course à la cuillère, car il a fallu que je prenne les deux rênes d'une main. Sans raison apparente, Polisson s'est soudain écarté de son couloir et a traversé ceux des autres poneys. Jade s'est fâchée contre moi parce qu'elle a été obligée de faire ralentir Brillante pour ne pas nous rentrer dedans. Quand j'ai enfin réussi à immobiliser Polisson, elle a crié :

– Si tu es incapable de contrôler cet animal, tu ne devrais pas le monter !

J'étais vraiment mal à l'aise mais je devais défendre Polisson.

– Polisson n'est pas « un animal », c'est un poney, ai-je rectifié, en essayant de maîtriser ma voix. Et de toute façon, tous les poneys sont imprévisibles.

– Ne reproche pas à ce canasson tes propres fautes, a-t-elle rétorqué de son ton désagréable.

Puis elle a fait tourner Brillante et a rejoint la ligne de départ au trot, son œuf toujours en parfait équilibre dans sa cuillère.

Oh ! Comment ose-t-elle traiter Polisson de canasson ?

– Ne t'occupe pas d'elle, m'a conseillé Émilie. Elle est de mauvaise humeur. Ce n'est pas contre toi.

Eh bien, moi, je crois que si ! Pourquoi ne s'en prend-elle toujours qu'à moi ? J'étais très vexée. Résultat : je ne me suis pas donnée à fond lors des autres jeux, comme le slalom et la «pêche à la pomme» où on doit descendre de poney pour attraper avec la bouche des pommes flottant dans un seau d'eau. Et quand on s'est entraînées à la puissance (une épreuve de saut en hauteur), je n'étais qu'à moitié concentrée à force d'éviter de croiser le regard de Jade. Voilà pourquoi j'ai fait tomber la barre dès le début. Et puis, dans beaucoup de courses, il fallait faire demi-tour pour trotter vers la ligne d'arrivée ; mais Polisson s'entêtait à suivre le cercle de la piste, comme pendant une leçon classique. Plus j'essayais de lui faire changer de direction, pire c'était. Sandra ne cessait de me répéter de relâcher mes mains et de donner davantage des jambes. Sans succès. Elle a fini par me demander de prendre les rênes dans une seule main et de me tenir au pommeau – comme les débutants !

Je tiens vraiment à ce que papa et maman soient fiers de moi vendredi. Mais si ça continue comme ça, je rentrerai bredouille !

Après qu'on a mis pied à terre, Sandra m'a appelée. Elle voulait qu'on « discute ». Sauf que je l'ai laissée parler toute seule. Je savais que si j'ouvrais la bouche, je me mettrais à pleurer. Sandra m'a expliqué qu'elle serait peut-être obligée de me changer de monture pour le reste de la semaine.

– Manon, c'est très difficile pour toi de t'amuser ou d'apprendre de nouvelles techniques, vu les problèmes de contrôle que tu rencontres, a-t-elle précisé.

Elle ne comprend pas que c'est bien plus que de l'équitation. Polisson est mon poney ; je l'aime tellement que je ne supporterais pas qu'on nous sépare. Pourtant, la seule chose que j'ai réussi à dire à Sandra, c'est : « Mais je l'adore ! »

En entendant ma voix pleine de larmes, Sandra s'est radoucie.

– Je vais en parler avec Paul et Judith. Je t'informerai de ma décision demain, d'accord ?

J'ai acquiescé. Les questions se bousculaient dans ma tête. Que vont penser les autres si on m'enlève Polisson ? Que va dire Jade ? Est-ce que Polisson croira que je ne l'aime plus ?

Oh, Émilie m'appelle du bas de l'escalier. C'est l'heure de notre cours sur la gestion des écuries. On va parler de la nourriture et de la santé du poney. Au moins, je ferai les travaux pratiques avec Polisson. Il m'appartient bel et bien jusqu'à ce soir. Et je tiens à profiter de chaque seconde avec lui, au cas où le pire arriverait ensuite.

Mercredi

*L'après-midi
dans notre chambre*

*L*es autres filles ne sont toujours pas rentrées de leur promenade. Je ne suis pas allée avec elles. C'est une longue histoire. Je vais essayer de la raconter en détails avant le retour d'Émilie et de Gabrielle.

Après le déjeuner, j'ai eu très mal au ventre – sans doute à cause des bâtonnets de poisson. Mes copines ont tenté de me changer les idées, mais comme c'était pire, Judith m'a suggéré d'aller m'allonger. Je me suis donc pelotonnée sur mon lit contre Réglisse, le labrador noir d'Émilie. Et j'ai évité de penser à la décision que prendrait Sandra.

Lorsque Émilie est venue me chercher pour faire un tour à cheval, je ne me sentais pas mieux. Elle est descendue prévenir Sandra, qui m'a permis de rester au lit. Après le départ du groupe, Judith est entrée dans ma chambre pour prendre de mes nouvelles. Elle s'est assise près de moi. J'ai commencé par lui parler de mon mal d'estomac. Et j'ai fini par l'entraînement catastrophique aux *pony-games*, en précisant que Sandra voulait m'attribuer un autre poney.

– Je suis au courant, a déclaré Judith avec un sourire. Et je me demande si ce n'est pas ça qui te met dans cet état.

J'ai soudain compris qu'elle avait peut-être un tout petit peu raison. J'ai répondu par un hochement de tête, puis j'ai lâché ce que j'avais sur le cœur :

– Sandra me trouve nulle.

– Manon, tu dis n'importe quoi, a répondu Judith. Si tu ne parviens pas à apprendre et à t'améliorer, c'est que nous t'avons confié le mauvais poney. C'est notre faute. Nous, on veut juste que tu t'amuses.

– Mais je m'amuse sur Polisson, me suis-je écriée.

Judith m'a lancé un regard sceptique.

– Bon, peut-être pas dans le manège quand il n'en fait qu'à sa tête. Mais à la plage, c'était super. Et puis j'adore faire équipe avec lui, le panser, m'en occuper, et…

J'ai cru que j'allais fondre en larmes. Je ne supportais pas l'idée de perdre Polisson.

– C'est comme s'il était vraiment à moi, ai-je conclu en reniflant.

– Bon, Manon, on peut peut-être arranger ça. C'est Sandra qui décidera, bien sûr, mais… Chausse tes bottes et rejoins-moi près de l'écurie de Polisson dans cinq minutes.

Sur ce, elle s'est levée et est partie en vitesse.

Comme par hasard, mon mal de ventre a disparu. Je suis allée dans la salle de bains me laver le visage. Puis je suis descendue sous le porche mettre ma bombe et mes bottes. J'ai passé la tête par la porte du box de Polisson : Judith était en train de le seller.

– Avec quoi as-tu le plus de difficultés ? m'a-t-elle demandé en me passant la sangle.

J'ai soulevé le quartier de selle et je l'ai bouclé.

– Tout, ai-je ronchonné.

– Eh bien, pour commencer, choisis un point précis, a-t-elle dit, amusée. Si Polisson sait que tu vas persévérer jusqu'à ce que tu obtiennes un résultat, cela facilitera aussi tout le reste, parce que tu auras plus d'assurance. Et il comprendra que tu ne plaisantes pas.

– Est-ce qu'on peut revoir la technique du cercle ? Ce matin, c'était mon plus gros défaut – Sandra s'en souviendra sans doute quand elle prendra sa décision !

Une fois dans le manège, j'ai détendu Polisson. On a effectué quelques cercles au pas. Ensuite, on s'est mis au travail. Judith m'a expliqué que ma jambe extérieure contrôle la forme du cercle tandis que ma jambe intérieure contrôle sa taille. Que je ne dois pas penser à tourner de façon plus *serrée*, mais plus *douce*.

Elle m'a même donné une cravache au cas où Polisson ne tiendrait pas compte de l'action de mes jambes. Chaque fois qu'il avait tendance à couper son cercle, Judith me criait :

– Continue, Manon ! Ta jambe ! Ta jambe ! Ta jambe !

Je pressais si fort le flanc de Polisson avec ma jambe intérieure que j'ai cru qu'elle allait se détacher de mon corps. Pourtant, ça ne changeait rien. J'ai écarté ma main pour qu'il tourne. Résultat : je lui ai presque tordu l'encolure, mais son corps n'a pas bougé.

– Du calme ! s'est exclamée Judith. Tu es tellement occupée à tirer comme une folle sur ces rênes que tu en as oublié ton assiette. Si tu veux jouer au bras de fer, on sait qui l'emportera !

Je me suis efforcée de relâcher mes mains et de me concentrer sur ma position.

Au début, ça n'a eu aucun effet, mais il n'était pas question que j'abandonne.

– Tiens-toi bien d'aplomb, m'a conseillée Judith. Et regarde dans la direction où tu es censée aller, pas là où tu crains que Polisson n'aille !

On a ri toutes les deux ; ça m'a un peu décontractée. Judith avait raison : quand je lui ai montré qui était le chef, Polisson est devenu plus docile.

Très vite, j'ai compris comment réaliser un cercle au trot, sans que ça ressemble à un triangle. J'ai même réussi à faire des huit de chiffre !

– Tu vois ! Tu peux y arriver ! m'a félicitée Judith.

Ensuite, je me suis entraînée à galoper jusqu'au bout du manège et à tourner pour revenir en sens inverse, comme dans les *pony-games*. Judith m'a appris à effectuer des tournants plus serrés en utilisant le poids de mon corps. Encore une technique compliquée ! J'ai quand même réussi à l'appliquer. Ravie, Judith m'a de nouveau complimentée et a jugé qu'on pouvait terminer sur cette note optimiste. À la fin, je me débrouillais super bien ! J'ai fait de gros câlins à Polisson, et lui ai dit qu'il était très intelligent.

Ça se voyait qu'il était content de lui, car il s'est ébroué et a frotté sa tête contre la mienne quand je l'ai conduit hors du manège.

Avant, je ne comprenais pas pourquoi Polisson ne tenait aucun compte de moi. Mais maintenant, je sais que je dois formuler clairement mes demandes, jusqu'à ce que je parvienne à mes fins. C'est le secret de la réussite ! Avec toute l'aide que m'a apportée Judith cet après-midi, mon petit doigt me dit que j'aurai une chance d'arriver non pas première aux *pony-games*, mais peut-être troisième.

De retour dans la cour, j'ai rassemblé mon courage pour poser à Judith *la* question :

— Est-ce que je vais devoir changer de poney ?

— Manon, tu sais bien que ce n'est pas moi qui décide, a répondu Judith en soupirant. Mais j'espère qu'avec les progrès que tu viens de faire, tu monteras Polisson avec plus de plaisir.

Super ! Donc, elle, elle pense que Polisson et moi devrions rester ensemble !

Judith m'a laissée attacher Polisson et le panser, sous le contrôle de Lydie qui enlevait les crottins des box et remplissait les seaux d'eau. En nettoyant les yeux de Polisson, je l'ai de nouveau félicité et lui ai dit que je l'adorais. Il a en quelque sorte hoché la tête et cligné des yeux – la preuve qu'il m'aime. Puis j'ai dû lui annoncer qu'on allait peut-être nous séparer. Comme ça l'a rendu triste, j'ai pris sa tête dans mes bras. Mais j'ai ajouté que grâce à notre excellent travail d'équipe d'aujourd'hui, il se pourrait qu'on reste ensemble. Là, il a retrouvé un peu de gaieté.

J'entends des bruits de sabots ; je vais aider les autres à desseller et à ramener les poneys au pré. Et raconter mon après-midi à Émilie et Gabrielle !

Jeudi

*Je viens juste de me réveiller
(aaaaaah !)*

Hier soir, on a joué au baseball, c'était bien. Emma a été un super batteur, et Karen a marqué plein de points pour notre équipe. Ça ne m'a pas empêchée d'être toujours obnubilée par la décision de Sandra. On a utilisé le terrain qui touche les prés des poneys. Alors, dès que j'ai pu, je suis allée très loin dans le champ de façon à contempler Polisson qui broutait l'herbe.

La nuit dernière, on ne s'est *toujours* pas goinfrées de bonbons – pourtant moi, à minuit pile, je ne dormais pas encore. J'ai préféré ne pas réveiller Émilie et Gabrielle. J'étais en train de faire un super rêve (enfin… une *rêverie* puisque j'étais éveillée !) : Polisson m'aidait à sauver un mouton qui était tombé dans un fossé.

J'étais aussi très inquiète par rapport à la décision de Sandra. Mais là, il est l'heure de descendre dans la cour pour connaître le verdict...

Jeudi 9 h 00

Juste avant le petit déjeuner

Sandra m'autorise à rester avec Polisson ! Oui ! Oui ! Oui ! Et ouf ! Ouf ! Ouf !

Voici ses propres paroles :

– Si Judith, qui est elle-même une monitrice qualifiée, a le sentiment que tu as suffisamment progressé pour pouvoir continuer à chevaucher Polisson, alors je suis son avis. Mais tu devras poursuivre tes efforts et conserver la maîtrise de ta monture.

– Oui, absolument. Je te le promets, ai-je certifié.

Puis je me suis précipitée vers le box de Polisson pour lui annoncer la nouvelle. Je l'ai couvert de caresses. Il était aussi content que moi ! Hourra !

C'est vraiment génial parce qu'aujourd'hui, on va tous pique-niquer à cheval. On sera parties de 11 h 30 à 15 h 30 environ – on déjeunera dans la campagne. C'est trop cool !

Je suis tout excitée !

Et je vais montrer à Jade-la-boudeuse quelle fabuleuse équipe on fait, Polisson et moi. J'ai retrouvé mon enthousiasme !

Bon, là, il faut que j'aille choisir mes céréales.

Jeudi

Pause du matin

Ça ne va plus du tout : je me suis fâchée avec Émilie et Gabrielle.

On était en train de manger une orange et des biscuits. Assise près d'Émilie, les yeux dans le vague, je me demandais si maman m'achèterait les mini-chaps «camouflage» (j'ai fait exprès de laisser la pub de *Poney Magazine* bien en évidence sur la table de la cuisine avant de partir). C'est alors que Jade s'est approchée de moi.

– Qu'est-ce que tu as l'air stressée ! m'a-t-elle lancé. Je te comprends. Tu n'arriveras jamais à manier Polisson pendant la promenade tout à l'heure.

– Je suis très calme, ai-je rétorqué, décidée à ne pas m'énerver. N'est-ce pas, Émilie ?

Je m'attendais à ce que ma copine réponde : « Ça, c'est vrai », ou quelque chose dans le genre. Mais elle s'est contentée de hausser les épaules, sans lever les yeux de la table.

– Eh bien, si, je t'assure que je suis très calme, ai-je marmonné. Ce n'est pas parce que j'ai les yeux dans le vide en pensant à des mini-chaps que je suis inquiète.

Jade m'a fusillée du regard et s'est éloignée en ajoutant :

– Enfin, il vaudrait mieux que tu ne nous ralentisses pas, c'est tout.

Juste à ce moment-là, Gabrielle est venue demander à Émilie si elle pouvait réclamer à Judith d'autres sablés au chocolat parce qu'il ne restait plus que des biscuits fourrés. Incapable de me contenir, j'ai montré Émilie du doigt et j'ai lâché :

– Elle ne me trouve pas assez douée pour partir pique-niquer avec Polisson !

– Mais je n'ai rien dit ! a crié Émilie.

– Mais tu n'as pas pris ma défense quand Jade l'a dit, l'ai-je accusée.

Je ne sais pas vraiment pourquoi j'étais si en colère contre elle. C'était comme ça, un point c'est tout.

– Eh bien, pour être franche, je suis un peu inquiète pour toi, a admis Émilie. Cette promenade est différente de celle sur la plage, où tu pouvais te contenter d'indiquer la direction à ton poney et de rester traîner à l'arrière.

– Quoi ? Je n'ai pas traîné à l'arrière ! me suis-je indignée.

– D'accord, désolée, l'expression est mal choisie, a rectifié Émilie. Mais ce que je veux dire, c'est qu'il faudra ouvrir des barrières : tu devras faire attention à ce que Polisson ne rentre pas dedans. Il faudra aussi maîtriser les galops, sinon tu atterriras dans une haie en haut d'un champ. Sans compter les vaches auprès desquelles tu devras rester calme au risque de rendre Polisson nerveux et…

Les remarques d'Émilie étaient peut-être pleines de bon sens, mais la seule chose que j'ai entendue, c'était : « Tu n'es pas assez douée pour monter Polisson, et au fait, tu n'es pas assez douée pour monter Polisson, et, oh, t'ai-je déjà dit que tu n'es pas assez douée pour monter Polisson ? »

– Qu'est-ce que tu en penses, Gabrielle ? ai-je demandé.

Gabrielle est devenue rouge écrevisse et a fixé ses pieds.

– Euh… je crois que tu devrais écouter Émilie, a-t-elle répondu entre ses dents. C'est vrai, elle a déjà effectué tous ces tours à cheval alors…

– Est-ce qu'Émilie a un diplôme de monitrice d'équitation ? me suis-je énervée. Si Sandra et Judith pensent toutes les deux que je suis capable d'aller au pique-nique, je ne vois pas pourquoi Émilie s'y opposerait. Ce n'est pas parce qu'elle possède son propre poney et qu'elle vit ici qu'elle sait tout, si ?

Émilie m'a fusillée du regard. J'ai cru qu'elle allait me répondre, mais elle s'est tournée vers Gabrielle et lui a demandé :

– Tu sais bien que je me permets de lui dire ça parce que c'est mon amie, non ?

Là, Gabrielle s'est fâchée à son tour.

– J'en sais rien ! s'est-elle exclamée. Je voulais juste un sablé au chocolat, et vous, vous me mêlez à vos histoires ! En fait, je vais plutôt aller discuter avec Chloé, Carla et Emma !

Sur ce, elle est partie. Émilie et moi avons échangé un regard noir, avant qu'elle ne me laisse en plan. C'est à ce moment-là que j'ai remarqué Jade qui m'observait avec un sourire suffisant – elle avait été témoin de la scène. Donc maintenant, Gabrielle nous ignore, Émilie et moi, et nous deux, on s'ignore aussi. Je suis très vexée. Je n'arrive pas à croire que mes soi-disant copines aient pu être si méchantes. Pour l'instant, elles ne sont pas revenues vers moi, et il est hors de question que je fasse le premier pas. Après tout, c'est leur faute si on s'est fâchées, pas la mienne.

Comme Jade continue à m'épier, je fais mine d'être concentrée sur ce que j'écris. Je ne veux surtout pas qu'elle me lance : « Tu veux ma photo ? » Je n'ai plus qu'à être Manon-la-courageuse, à assurer pendant la promenade-pique-nique sur Polisson, et à leur donner tort à toutes – c'est tout !

Jeudi

Après le tour à cheval

On est en train de regarder *Spirit, l'étalon des plaines* dans le salon, en savourant un délicieux chocolat chaud et du pop-corn. J'ai le DVD chez moi, que j'ai visionné environ 23 fois – donc à la place, je peux remplir mon journal intime. Mais comme il fait assez sombre ici, j'ai du mal à écrire droit. Le film remplace notre activité du soir, censée être natation et barbecue, car il y a de l'orage. En vrai, ça m'arrange : la promenade-pique-nique en elle-même m'a beaucoup fatiguée. Et je suis encore toute tourneboulée parce que c'était à la fois passionnant et effrayant.

Alors voilà l'histoire de... Manon-la-courageuse !

Le départ a été donné par Sandra à l'avant, Paul restant derrière. Le groupe, déjà repérable grâce aux gilets jaune fluo, était ainsi en sécurité. Nous avons dû emprunter une petite portion de route avant de bifurquer sur un chemin. C'était bien : on a appliqué les règles de sécurité routière apprises ce matin. Par exemple, si possible, chevaucher sur le bas-côté, rester groupés et remercier les conducteurs qui nous dépassent lentement (bon, le conducteur, car nous n'en avons croisé qu'un).

Au début, j'étais nerveuse. Après les paroles de Jade, je voulais que tout soit parfait. Par chance, Polisson m'écoutait vraiment; c'était génial de le monter dans la campagne. Pourtant, j'étais triste qu'Émilie, Gabrielle et moi, on se fasse toujours la tête. Émilie discutait derrière avec son père, et Gabrielle était avec les plus petites. Vu que Katie et Karen étaient avec Jade, je n'avais pas envie de discuter avec elles non plus. Donc, je chevauchais seule.

Sandra l'a sans doute remarqué parce qu'elle m'a invitée à la rejoindre. Contrairement à la fois précédente où j'étais trop vexée pour dire un seul mot, là, on a eu une vraie discussion. Elle a affirmé qu'elle était très fière de moi car j'avais donné mon maximum avec Polisson. Elle avait constaté mes énormes progrès. Je l'ai remerciée et lui ai dit que j'aimais bien sa veste (pour répondre quelque chose de gentil). Au bout d'un moment, on s'est tues – c'était chouette de chevaucher côte à côte en silence. Polisson trottait parfois un peu trop vite, mais j'ai pensé à utiliser mes demi-arrêts.

À un endroit, le chemin était jonché de branches mortes et de broussailles. Sandra a autorisé les grandes, ainsi qu'Émilie et Carla, à franchir ces obstacles. Moi, j'ai sauté par-dessus un rondin avec Polisson ! J'ai été surprise que Sandra annonce qu'on atteindrait bientôt le site du pique-nique. J'avais l'impression qu'on venait à peine de partir. Mais mes fesses dou-loureuses me disaient le contraire !

Au bout d'un champ de blé, on a vu un chemin qui montait doucement. Sandra nous a laissées y aller au petit galop (désormais, on le maîtrise toutes). C'était génial de gravir cette mini-colline ; les sabots de nos montures martelaient le sol. On aurait dit qu'on volait ! Puis, tout à coup, Polisson a accéléré ; il a pris le grand galop ! On a vite devancé le reste du groupe. Dans mon affolement, j'ai perdu mon étrier gauche. J'ai eu envie d'appeler au secours !

L'espace de quelques secondes, j'ai tout oublié de mes connaissances en équitation. J'agitais les mains dans tous les sens, mon postérieur rebondissait sur la selle et je m'agrippais désespérément à la crinière de Polisson. Enfin, j'ai repris haleine et j'ai réussi à me rasseoir avec peine. J'ai raccourci les rênes et j'ai tiré fort dessus en criant : « Holà ! » En vain. Alors, j'ai tenté de rechausser mon étrier, pour reprendre le contrôle. Après plusieurs tentatives, mission accomplie ! J'ai jeté un coup d'œil derrière moi : les autres n'étaient plus que de petites silhouettes.

Puis Polisson a quitté la piste pour galoper à travers champ. Soudain, la haie délimitant l'autre prairie est apparue menaçante devant moi. C'était cent fois plus effrayant que de faire la course jusqu'au bout du manège dans les *pony-games*. Je n'avais aucune idée de la façon de stopper Polisson lancé à si vive allure !

Résultat : il a sauté la haie ! Et nous voilà repartis à traverser le champ suivant au galop. Penchée en arrière, je tirais sur les rênes et je hurlais « Ho ! » de toutes mes forces. Mais Polisson poursuivait sa course folle. En racontant cette histoire, j'ai l'impression qu'elle a duré des heures – en fait, c'était comme un flash ; j'ai à peine eu le temps de réfléchir.

Puis j'ai entendu galoper dans mon dos : c'étaient Sandra et Émilie.

– Fais-le tourner, fais-le tourner, ne cessait de me crier Sandra.

Impossible. J'ai complètement paniqué quand une autre haie s'est dessinée à l'horizon.

– Manon, fais-le tourner MAINTENANT !
a répété Sandra. Je sais que tu peux le faire.

Je ne peux pas, je ne peux pas ! ai-je pensé,
complètement angoissée. C'est alors qu'Émilie
a hurlé :

– Il y a une route de l'autre côté de cette
haie !

Cette information m'a tirée de ma tor-
peur. C'était moi la cavalière, j'étais censée
commander. Et puis je ne pouvais pas laisser
Polisson se mettre en danger.

– Allez, tu vas y arriver ! me criait Émilie.

Soudain, je me suis souvenue de ce que m'avait
appris Judith sur les cercles et les courbes. J'ai
rectifié ma position, j'ai inspiré à fond et j'ai
écarté ma main droite pour tourner, en donnant à
Polisson une forte pression de ma jambe gauche.
La haie n'était plus très loin. Je n'avais qu'une
envie : fermer les yeux et prier. Sauf que je n'avais
pas le droit d'abandonner. Bien enfoncée dans ma
selle, j'ai redemandé à Polisson de tourner.

– Allez, Polisson ! On fait équipe ! Tourne
pour moi !

La haie se rapprochait de plus en plus et puis… il a tourné ! Ça a été si brusque que j'en ai reperdu mon étrier, mais je m'en fichais.

– Maintenant, fais-lui faire un cercle ! m'a ordonné Sandra. Très serré. Et utilise tes demi-arrêts. Ça le ralentira.

Malgré la sensation que mes épaules étaient en train de se déboîter, j'ai réussi. On a tourné en rond pendant ce qui m'a paru durer une éternité.

Juste au moment où je m'apprêtais à sauter par terre, tant j'étais fatiguée et terrifiée, Polisson est revenu au petit galop, puis au trot, avant de s'immobiliser totalement. Soulagée, j'ai relâché les rênes. Polisson a baissé la tête et s'est mis à brouter l'herbe, comme si de rien n'était.

C'est à cet instant que j'ai remarqué les autres cavalières postées près de la clôture – elles avaient tout vu !

J'ai à peine osé regarder Sandra : elle devait être furieuse contre moi ! Au contraire, elle s'est écriée :

– Waouh, Manon ! C'était hallucinant !

Devant mon air déconcerté, elle a ajouté :

– Quel sang-froid ! C'était déjà impressionnant que tu restes en selle, mais en plus, tu es parvenue à faire ralentir Polisson. Un peu plus et tu aurais voltigé dans la haie !

– Tu penses vraiment qu'il aurait sauté par-dessus ? ai-je voulu savoir.

– Oh, non, je ne crois pas, s'est esclaffée Sandra. Celle-ci était bien plus grande que la précédente. Cela dit, avec notre Polisson, on ne sait jamais. Disons que je me réjouis que tu l'aies bien manié, comme ça, on reste dans le doute... Bien, retournons sur la piste. Nous ne sommes pas censées aller dans cette direction !

Elle a fait demi-tour et a trotté vers le reste du groupe. Émilie et moi l'avons suivie. On s'est regardées et on s'est mises à parler toutes les deux en même temps. Moi, j'ai dit : « Tu avais raison : j'ai été incapable de manier Polisson », pendant qu'elle disait : « Qu'est-ce que tu as été forte ! Tu l'as très bien maîtrisé. Excuse-moi. »

On s'est rapprochées l'une de l'autre pour se serrer la main en signe de réconciliation. C'était rigolo car on a dû beaucoup se pencher en avant. Puis Sandra nous a appelées :

– Allez, vous deux ! Arrêtez de faire les ânes. Il y a un pique-nique qui nous attend !

On a éclaté de rire.

Quand on a rejoint le groupe, Gabrielle aussi a voulu faire la paix – on est donc amies de nouveau.

Lorsque Judith est arrivée en voiture avec le repas, tout le monde ne parlait que de mon courage. (Je ne dis pas ça pour me vanter, mais c'est la vérité, et j'ai promis d'écrire dans ce journal tout ce qui se passe aux Écuries du soleil !) Chacune leur tour, les filles ont raconté des versions plus fantastiques les unes que les autres : Polisson avait même rué, s'était cabré, avait à moitié franchi la haie. Et je l'avais arrêté rien qu'en claquant des doigts.

Puis Jade s'est adressée à Karen d'une voix très forte :

– Manon frimait. Faire galoper son poney comme ça ! – un miracle qu'il ne l'ait pas désarçonnée. Elle ne le contrôle même pas dans le manège, alors en pleine campagne !

Tous les regards se sont tournés vers moi.

– C'est faux ! s'est exclamée Gabrielle.

J'étais si furieuse que je me suis défendue moi-même, spontanément.

– Bien sûr que non, je ne l'ai pas fait exprès ! ai-je crié. C'est pas comme toi, qui as forcé le pauvre Rubis à aller au bord de l'eau. Et moi, au moins, je suis restée en selle, même au galop. Alors que toi, tu as été désarçonnée au trot !

Tout le monde a éclaté de rire en se rappelant la mésaventure de Jade. On s'est lancé des regards noirs ; je retenais mon souffle : qu'allait-elle encore me dire d'horrible ? Mais elle a détourné les yeux. *Là, j'ai vraiment su me défendre !* ai-je songé. Et si je me comportais en Manon-la-courageuse avec les filles aussi, pas juste avec les poneys ?!

En me donnant un sandwich aux œufs et au cresson avec des chips, Judith m'a adressé un clin d'œil : on connaissait toutes les deux le secret de mon exploit !

Oh, je m'arrête d'écrire pour regarder *Spirit, l'étalon des plaines*, car c'est bientôt mon passage préféré !

Vendredi

Notre dernier jour, snif!

Bon, on a quand même fini par se régaler avec les friandises à minuit! Émilie nous a raconté l'histoire du cavalier sans tête. À la fin, quand elle a crié : « TOI ! », on a sursauté en hurlant de peur. Puis on a dû faire mine de dormir car à cause du bruit, Judith a effectué une ronde avec sa lampe torche. Mais après, on s'est relevées. On a mangé des lacets à la fraise et on a discuté à voix basse.

Ce matin, après le petit déjeuner, on a fait notre sac pour pouvoir rentrer chez nous après les *pony-games* : nos parents viennent nous encourager avant de nous ramener. Je suis excitée comme une puce. Je vais faire de mon mieux pour remporter un flot.

Je redoute pourtant que Jade ne gâche mon parcours – elle ne m'a toujours pas adressé la parole, ni même regardée, depuis que je lui ai tenu tête. Et si elle avait l'intention de faire quelque chose de méchant ? Comme courir autour de Polisson en faisant claquer sa veste rose vif pour l'effrayer. Ou échanger mon œuf dur de la course à la cuillère contre un œuf au plat tout baveux (comment, alors, le faire tenir en équilibre ?!).

Je me laisse sans doute emporter par mon imagination. Si je pouvais savoir ce qu'elle pense !

Vendredi après-midi

———

*L*es *pony-games* débutent dans 15 minutes ; tous les parents sont en train d'arriver.

Polisson est très élégant ! Après le déjeuner, on a passé un bon moment à se préparer pour le spectacle. On a attaché nos poneys dans la cour pour les panser au soleil. Du coup, j'étais si occupée que j'ai complètement oublié Jade.

1) D'abord, on a posé notre harnachement sur les bancs à pique-nique et on l'a bien astiqué.

2) J'ai pansé Polisson de la tête aux sabots.

3) J'ai lustré sa robe avec l'époussette et un spray traitant.

4) J'ai brossé sa crinière jusqu'à ce qu'elle soit brillante et soyeuse.

5) J'ai voulu tresser sa queue et y entrelacer des rubans. C'était n'importe quoi. Alors Lydie m'a montré comment simplement en fixer plusieurs à l'attache de la queue. Pas mal du tout.

6) J'ai emprunté de la graisse à Gabrielle pour faire briller les sabots de Polisson. Elle m'a aussi prêté des paillettes. Mais Polisson s'est penché à mon oreille comme pour me dire qu'il ne voulait pas ressembler à une ponette ! J'ai donc rendu son maquillage à Gabrielle en la remerciant.

7) J'ai enfilé la dernière tenue propre que j'avais mise de côté exprès. Et Gabrielle m'a fait une queue de cheval basse, à laquelle elle a noué des rubans assortis à ceux de Polisson.

Même si je ne remporte aucune course, il se peut que je gagne quand même un prix pour le toilettage du cheval et la tenue du cavalier. Polisson le mérite – selon moi, c'est le plus beau poney du monde !

Toujours
vendredi après-midi

J'écris de ma voiture – impossible d'at-
tendre d'être rentrée chez moi. Je vais
reprendre là où je me suis arrêtée, pour ne
rien oublier.

Juste avant les *pony-games*, on s'est toutes
photographiées avec nos poneys. J'ai donc des
tas de clichés de Polisson et de moi que je gar-
derai précieusement. Ainsi que d'autres, super,
avec Émilie et Gabrielle. Judith a aussi pris des
photos de l'ensemble du groupe, avec les ap-
pareils de chaque fille. On a failli attraper des
crampes à force de sourire ! Et puis…

Oh, je ne peux pas raconter les choses dans l'ordre – je passe tout de suite aux meilleurs moments ! Polisson et moi avons remporté deux flots ! On a obtenu la troisième place au concours de beauté et... la première au slalom !

Les enseignements de Sandra et de Judith sur les cercles et les tournants m'ont été très utiles pour contourner les cônes. Sans parler, bien sûr, de mon entraînement imprévu lors de la promenade-pique-nique ! La course était très serrée : j'étais à égalité avec Jade. Avant de devenir Manon-la-courageuse, je l'aurais sans doute laissée remporter l'épreuve pour gagner son amitié. Mais pas aujourd'hui ! J'ai talonné Polisson, je l'ai encouragé. Il a semblé comprendre ma détermination car il a légèrement accéléré son allure (sans pour autant galoper cette fois-ci, ouf !). Je n'en revenais pas d'être la première à franchir au petit galop les piquets d'arrivée.

Émilie, Gabrielle, papa, maman, Judith et Sandra m'ont soutenue comme des fous. J'étais si heureuse que je ne me suis même pas demandé si Jade était fâchée d'avoir perdu !

Je me suis bien amusée aux autres jeux aussi – aucune importance si Polisson a rué dans la course à la cuillère. Ni si mon œuf a volé dans le décor !

À la puissance, j'ai monté quatre fois la barre avant de la renverser.

– Oh, Manon, tu es capable de sauter plus haut que ça ! m'a crié Sandra.

Cette allusion à la promenade-pique-nique a fait rire toutes les stagiaires. Elle plaisantait, évidemment. J'étais déjà contente de ma performance. Et je suis bien décidée à travailler le saut quand je vais retrouver mon club.

C'est Sandra qui m'a remis mon flot gagné au slalom.

– Ce concours exige rapidité et maîtrise, qualités que Polisson et toi possédez désormais. Bravo ! m'a-t-elle félicitée en me serrant la main.

Maman applaudissait très fort tandis que papa me mitraillait avec son appareil photo.

Plus tard, maman m'a avoué que même si « son cœur battait la chamade » pendant les jeux, elle était étonnée de l'assurance que j'avais acquise. J'ai voulu lui raconter la promenade-pique-nique. Mais il vaut mieux qu'elle la lise elle-même dans ce journal - pas trop d'émotions d'un coup !

Un cadeau m'attendait dans la voiture : les mini-chaps « camouflage » ! J'ai embrassé maman très fort pour la remercier.

– Comment savais-tu que je remporterais un flot ? lui ai-je demandé.

– Mais ce n'est pas pour ça, Manon ! a-t-elle répondu en riant. C'est parce que tu as eu le courage de partir en vacances toute seule.

Je me suis alors rendu compte que dès le départ, j'étais un peu courageuse. En effet, j'étais venue aux Écuries du soleil sans connaître personne, je m'étais fait des amies, j'avais expérimenté de nouvelles choses comme les chevauchées sur la plage et les sandwichs avec de la salade dedans.

La Manon courageuse était peut-être de-puis toujours quelque part en moi, mais juste cachée !

J'allais chercher mon sac quand Jade s'est dirigée vers moi. Au lieu de me lancer une méchanceté comme je m'y attendais, elle m'a tendu la main. Avant de réfléchir à ce que je faisais, je la lui ai serrée.

– Désolée d'avoir eu un comportement bi-zarre envers toi, s'est-elle excusée. Et bravo d'avoir gagné le slalom.

– Ne t'inquiète pas, ai-je marmonné. Et bravo d'avoir remporté la « pêche à la pomme ».

J'ignore ce qui l'a fait changer d'attitude à mon sujet. A-t-elle compris que je me fi-chais de son opinion ? Voulait-elle juste es-sayer mes mini-chaps ? Peu importe. On s'est toutes embrassées pour se dire au revoir. Émilie, Gabrielle et moi avons échangé nos adresses ; on s'est promis de rester en contact. Puis j'ai dû faire mes adieux à la personne

– enfin, poney ! – qui me manquera le plus, mon Polisson.

Tandis que les parents prenaient une tasse de thé avec Judith et Sandra, Lydie et Paul nous ont surveillées dans la cour. J'ai reconduit Polisson dans son écurie, l'ai dessellé, et j'ai ôté les rubans de sa queue.

Je suis allée très lentement pour qu'on passe le plus de temps possible ensemble. En lui caressant la tête, je lui ai murmuré à l'oreille que même si je montais, disons, 22 autres poneys dans ma vie, je ne l'oublierais jamais. Il resterait mon préféré. Il a frotté sa tête contre moi, l'air de dire : « Même si plusieurs filles me chevauchent chaque semaine, tu resteras toi aussi ma préférée ! »

Puis papa m'a crié qu'il était l'heure de partir. J'ai serré Polisson une dernière fois dans mes bras. J'étais un peu triste, mais j'étais surtout heureuse de l'avoir rencontré. En plus, il m'avait appris le courage. Mon camp d'équitation aux Écuries du soleil s'achève peut-être, mais mes souvenirs dureront toujours – comme ce journal intime !

Quand je vais retourner dans mon centre équestre, je vais rester Manon-la-courageuse. Je demanderai à monter Danseur ou même le super rapide Charlie. Bon, pour lui, il se peut que ce soit un peu trop tôt. Mais une chose est sûre : les traînards, je n'en veux plus !

Je remercie Jodie Maile (monitrice chevronnée) de m'avoir remise en selle, aidée et conseillée de façon inestimable dans l'écriture de ce livre.

Remerciements particuliers à Janet Rising (superconsultante).
Kelly McKain

Dans la série

Mon poney et moi

Manon et Polisson
Pauline et Prince